Chers amis rongeurs,
bienvenue dans le monde de

Geronimo Stilton

GERONIMO STILTON

TÉA STILTON

BENJAMIN STILTON

TRAQUENARD STILTON

PATTY SPRING

PANDORA WOZ

Un grand merci à mes amis canadiens Sandro Shahriar Saes et Milagros... et un bisou affectueux à Sahand et Samira !

Texte de Geronimo Stilton.
*Basé sur une idée originale d'*Elisabetta Dami.
Coordination éditoriale de Lorenza Bernardi.
*Édition d'*Adriana Sirena *et de* Patrizia Puricelli.
Coordination artistique de Roberta Bianchi
en collaboration avec Adriana Sirena.
Couverture de Giuseppe Ferrario.
Illustrations intérieures de Lorenzo Chiavini,
Roberto Ronchi *et* Chiara Sacchi.
Graphisme de Laura Zuccotti
et Michela Battaglin.
Traduction de Titi Plumederat.

www.geronimostilton.com

Pour l'édition originale :
© 2004, Edizioni Piemme S.p.A. – Corso Como, 15 – 20154 Milan, Italie
sous le titre *In campeggio alle cascate del Niagara.*
International rights © Atlantyca S.p.A. – Via Leopardi, 8 – 20123 Milan,
Italie – www.atlantyca.com – contact : foreignrights@atlantyca.it
Pour l'édition française :
© 2010, Albin Michel Jeunesse – 22, rue Huyghens, 75014 Paris
www.albin-michel.fr
Loi 49-956 du 16 juillet 1949 sur les publications destinées à la jeunesse
Dépôt légal : second semestre 2010
Numéro d'édition : 17090/5
ISBN-13 : 978 2 226 20943 6
Imprimé en France par Pollina S.A. en novembre 2013 - L66674A

Geronimo Stilton

CAMPING AUX CHUTES DU NIAGARA

ALBIN MICHEL JEUNESSE

CE MATIN-LÀ,
OH, CE MATIN-LÀ…

Cette nuit-là, ce fut un véritable déluge. La pluie cinglait les carreaux : TCHAF ! TCHAF ! TCHAF !
Je m'endormis en marmonnant :
– J'ai… vraiment… l'impression… de… dormir… à… côté… d'une… d'une… CASCADE… ronf !

J'AI… VRAIMENT… L'IMPRESSION… DE… DORMIR… À… CÔTÉ… D'UNE… D'UNE… CASCADE…

Il plut plut plut toute la nuit.

Je me réveillai le matin et m'étirai. Mais quand je vis le réveil...

Mes moustaches *vibrèrent vibrèrent vibrèrent* d'angoisse !

Je hurlai, désespéré :

– *Par mille mimolettes !* Je suis en retard ! Très très en retard !

Je me précipitai dans la salle de bains !

J'ouvris le robinet de la douche tout en me brossant les dents ! Je me peignai les moustaches tout en enfilant mon pantalon ! J'avalai mon thé tout en franchissant la porte !

Je courus à perdre haleine jusqu'à la maison de tante Toupie, où habite mon neveu Benjamin.

OUF, JUSTE JUSTE JUSTE à temps pour accompagner Benjamin à l'école !

Nous passâmes devant *l'Écho du rongeur*, le journal le plus CÉLÈBRE de l'île des Souris... le journal que je dirige !

Benjamin me demanda :

– Tonton, puis-je inviter mes copains à visiter *l'Écho* ?

Je **souris**.

– Bien sûr, mon cher petit neveu. C'est très intéressant d'assister à l'élaboration d'un journal !

Nous arrivâmes enfin devant l'école de Benjamin.

Quel désordre !

Les souriceaux arrivaient tous en même temps, les uns accompagnés par leurs parents, les autres descendant du car de ramassage scolaire.

La cloche de l'école sonna.

Drrrrrrrrrriiiiiiiinnnnnnnnnnngggggg !

Une rongeuse *blonde*, aux yeux d'un bleu pur
comme un ciel de printemps, arriva. Elle avait un
air décidé, mais paraissait aussi très *douce* !
Elle portait un jean et une chemisette BLANCHE.
Elle me sourit gentiment.

– Bonjour, je suis la maîtresse, Sourille de
Sourilis !

Je lui fis un baisepatte.

– Bonjour, mademoiselle ! Mon nom est Stilton,
Geronimo Stilton, je suis l'oncle de Benjamin !

1 LES COPAINS DE BENJAMIN

Liza

Tripo

Kikou

Diego

Rarine

Mohammed

Takeshi

Carmen

Roupa

Tui

David

Esméralda

Kouti

Hsing

Laura

Atina

Tian Kai

Milenko

Antonia

Sakura

Benjamin

Oliver

QUAND ?
POURQUOI PAS
TOUT DE SUITE ?!

J'allais sortir quand la maîtresse annonça :

– Aujourd'hui, nous allons décider du but de notre voyage de fin d'année !

Puis elle me dit :

– Monsieur Stilton, puis-je vous demander un *conseil* ? En fait, nous aimerions aller…

Elle commença à écrire *quelque chose* au tableau, mais c'est alors que Tripo me fit un croche-patte et que je me retrouvai les jambes en l'AIR !

Dans la chute, je perdis mes lunettes !

La maîtresse **montra** le tableau et demanda :
– Ne trouvez-vous pas que ce serait une bonne idée, monsieur Stilton ? Ce serait une excursion instructive et amusante...
Je balbutiai :
– Euh... **UN INSTANT**...
Pas moyen de mettre la patte sur mes lunettes !
Désespéré, je FIXAI le tableau en écarquillant les yeux. Voyons voir, qu'est-ce qui était écrit ?
Je crus lire « Écho du rongeur » et j'imaginai que la maîtresse voulait visiter mon journal !
Je lui dis :
– Si cela vous intéresse de faire cette expérience avec vos élèves, je suis à votre disposition !
Elle était surprise :
– Vraiment, monsieur Stilton ?

– Mais bien sûr. Et ne m'appelez pas *monsieur Stilton*... mais *Geronimo* !

Elle répéta :

– Vous seriez donc prêt à...

– Mais bien sûr, je suis prêt !

– Et... quand ?

– Quand vous voudrez !

– **Pourquoi pas**... cette semaine ?

– **Pourquoi pas** cette semaine !

– **Pourquoi pas**... aujourd'hui ?

– **Pourquoi pas** aujourd'hui !

– Mais... qui va payer ?

– Je vous invite tous !

– Et... qui nous accompagnera ?

Je souris :

– C'est moi qui vous accompagnerai, en personne. Je me porte volontaire, ***parole d'honneur de rongeur*** !

La maîtresse s'écria, tout heureuse :

– Monsieur Stilton, enfin, Geronimo, est *volontaire* pour nous accompagner *en personne et aujour-*

d'hui même aux *chutes du Niagara*, gratuitement, pour une semaine... Nous sommes tous ses *invités* !

La classe poussa un CrI de joie :

– Hourra ! Nous allons aux *chutes du Niagara* ! *Aujourd'hui* ! *Pour une semaine et gratuitement* ! Merci, monsieur Stilton ! Ou plutôt, merci Geronimo !

Je demandai, ahuri : QUOI ? NIAGARA ?

Tripo m'arracha un poil de moustache.

– Regarde le tableau ! C'est écrit, « Niagara », tu es bigleux ?

C'est alors que je mis enfin la patte sur mes

NIAGARA !

lunettes. Je les plaçai sur mon museau et pus déchiffrer : **NIAGARA !**

J'essayai de m'expliquer :

– Je... vraiment... euh... je voulais dire... vous faire visiter... les bureaux de L'ÉCHO DU RONGEUR... pas les CHUTES DU NIAGARA...

Benjamin me rappela :

– Oncle Geronimo, tu as donné ta **parole d'honneur de rongeur** ! Tu ne peux pas faire marche arrière !

Je soupirai :

– Tu as raison !

La maîtresse était déjà en train de téléphoner à une agence de voyages.

– Oui, 22 élèves plus l'institutrice, plus Geronimo, il nous faut 24 billets aller et retour pour les chutes du Niagara…

Je sortis ma carte de crédit **RAT-CARD-DIAMANT-GOLDEN-PLUS** en soupirant. Elle allait m'être utile : voyager à 24, ça coûte cher !

La maîtresse brandit un cahier à la couverture jaune.

– Voici notre **JOURNAL DE VOYAGE**. Chaque jour, nous y écrirons nos expériences et nos émotions pour ne pas les oublier quand ce merveilleux voyage sera terminé !

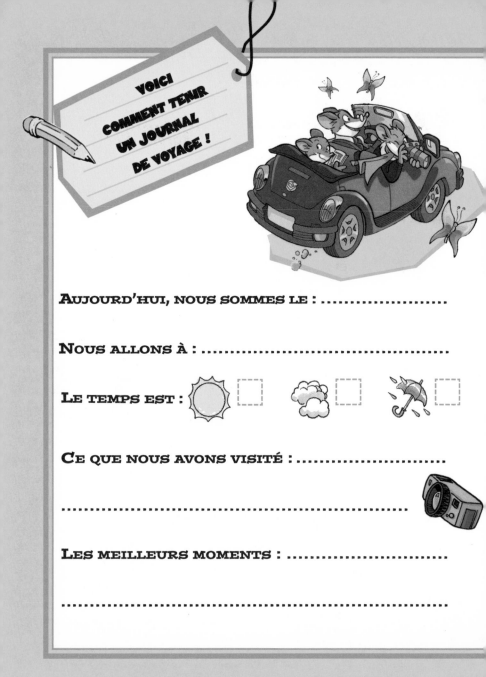

VOICI COMMENT TENIR UN JOURNAL DE VOYAGE !

AUJOURD'HUI, NOUS SOMMES LE : ....

NOUS ALLONS À : ....

LE TEMPS EST : ☐   ☐   ☐

CE QUE NOUS AVONS VISITÉ : ....

....

LES MEILLEURS MOMENTS : ....

....

CE QUE NOUS AVONS MANGÉ : ....

....

LES IMPRÉVUS : ....

LES SURPRISES : ....

....

ICI, COLLE
UNE PHOTO
DE CETTE
JOURNÉE !

LA PHOTO A ÉTÉ

PRISE À : ....

ON ARRIVE DANS COMBIEN DE TEMPS ?

Les chutes du Niagara se trouvent en Amérique du Nord, à la frontière des États-Unis et du Canada, très loin de l'île des Souris !

Le voyage aérien fut très long... et *ÉPOUVANTABLE* !

Diego renversa son *jus d'orange* sur mon ordinateur...

Sakura écrasa un gros cornet de GLACE sur ma cravate...

Diego renversa son jus d'orange...

Sakura écrasa sa glace...

David m'arracha la moustache...

David m'arracha un poil de moustache… Moustache de Geronimo

Carmen me fit tomber une valise sur la patte…

Esméralda papota papota papota sans interruption…

Milenko me demanda **317** fois :

– Pff, on arrive dans combien de temps ?

Au milieu de ce remue-ménage, j'essayai désespérément de me concentrer sur un livre consacré aux chutes du Niagara.

Quelle histoire intéressante !

Milenko me demanda 317 fois…

Carmen fit tomber une valise…

Esméralda papota…

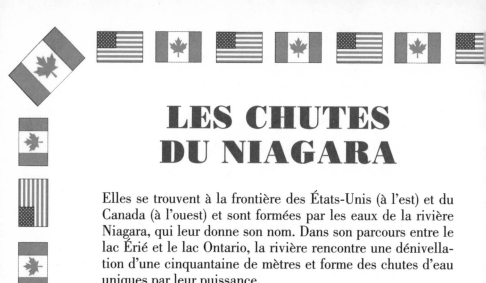

LES CHUTES
DU NIAGARA

Elles se trouvent à la frontière des États-Unis (à l'est) et du Canada (à l'ouest) et sont formées par les eaux de la rivière Niagara, qui leur donne son nom. Dans son parcours entre le lac Érié et le lac Ontario, la rivière rencontre une dénivellation d'une cinquantaine de mètres et forme des chutes d'eau uniques par leur puissance.

Il s'agit de deux cascades distinctes : du côté canadien, ce sont les *Horseshoe Falls* (chutes du fer à cheval), d'une largeur de quelque 790 mètres. Tandis que, du côté américain, se trouvent les *Rainbow Falls* (chutes de l'arc-en-ciel), larges de 305 mètres.

L'hiver, le fleuve est pris par les glaces, mais pas l'eau des chutes, qui sont perpétuellement en mouvement.

Chaque seconde, elles ont un débit de plus de 3 millions de litres d'eau !

C'est pourquoi les chutes du Niagara constituent également une précieuse ressource hydroélectrique : 50 % de cette eau (et même 75 % la nuit) est déviée vers des centrales hydroélectriques qui fournissent en électricité de nombreuses villes des États-Unis et du Canada.

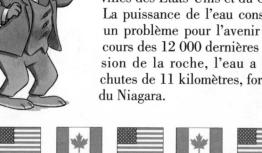

La puissance de l'eau constitue cependant un problème pour l'avenir des chutes : au cours des 12 000 dernières années, par érosion de la roche, l'eau a fait reculer les chutes de 11 kilomètres, formant les Gorges du Niagara.

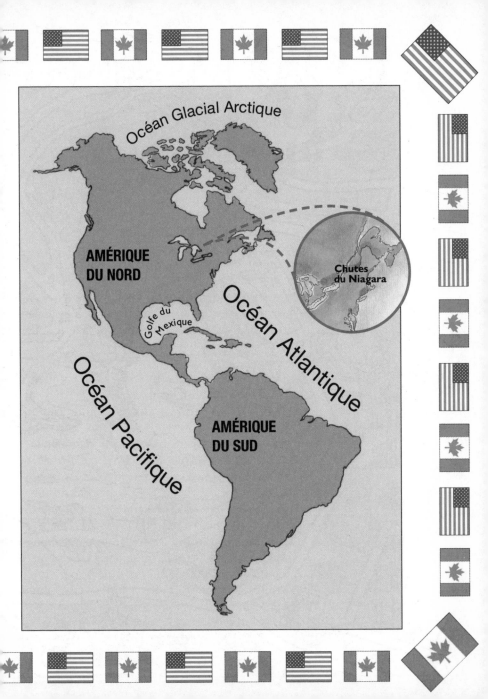

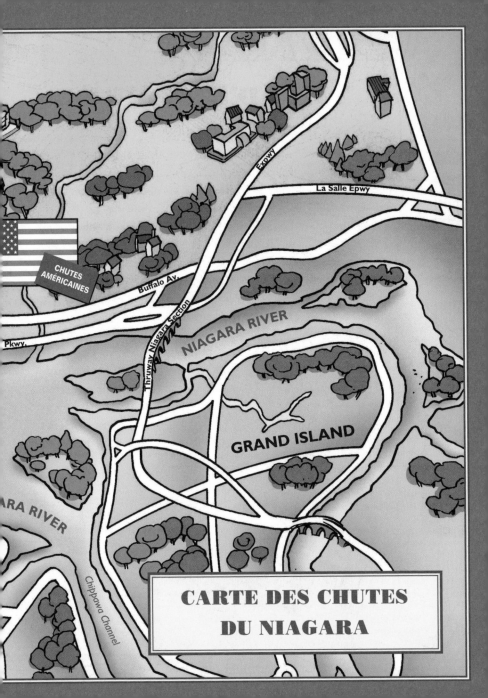

UN PEU D'HISTOIRE...

L'ÉPOQUE DES EXPLORATIONS

Pendant des siècles, les Indiens qui vivaient à la frontière de ce qui allait devenir l'Amérique du Nord et le Canada ont été les seuls à profiter du spectacle offert par les chutes. Les premières mentions officielles remontent à la seconde moitié du XVIIᵉ siècle. C'est Louis Henneping, un franciscain belge ayant participé aux expéditions dans la région des Grands Lacs qu'avait organisées l'explorateur français Robert Cavelier de la Salle, qui les rendit célèbres. En décembre 1678, ils atteignirent les chutes et furent ébahis par leur grandeur…

À l'époque, les chutes tombaient d'une hauteur de plus de 180 mètres et avaient une largeur deux fois supérieure à celle d'aujourd'hui !

LES PREMIERS TOURISTES

Le tourisme arriva lentement. L'une des premières visites importantes date de 1791, lorsque le duc de Kent (père de la future reine d'Angleterre Victoria) séjourna dans la seule auberge de la région : une petite cabane en bois !

Mais les premiers groupes de touristes commencèrent à affluer dans la seconde moitié du XIXe siècle. Les chutes ne cessèrent d'attirer des personnalités, telles que Jérôme Bonaparte, le frère de Napoléon, qui arriva en carrosse de La Nouvelle-Orléans (Louisiane, États-Unis) au cours de son voyage de noces.

Depuis, les chutes du Niagara sont devenues l'une des destinations favorites des jeunes mariés pour leur lune de miel !

TOUT LE MONDE...
SAUF MOI !

Nous étions presque arrivés lorsque le commandant de l'avion annonça :

– Mesdames et messieurs, vous pouvez admirer par les hublots les célèbres chutes du Niagara...
Tout le monde *était pressé de voir les chutes !*
Tout le monde *se précipita vers les hublots !*
Tout le monde *vit les chutes du Niagara...*
SAUF MOI ! SAUF MOI ! SAUF MOI ! SAUF MOI !
J'étais entouré d'une foule d'enfants surexcités, et il me fut impossible de me lever !

L'avion *atterrit* enfin à l'aéroport de Toronto, au Canada.

De Toronto, nous prîmes un **autocar** et, au bout d'*1 heure et demie environ* de voyage, nous arrivâmes à *Niagara Falls*, la ville construite près des chutes.

Le chauffeur annonça :

– Vous pouvez maintenant admirer par la fenêtre les célèbres chutes du Niagara…

Tout le monde *était pressé de voir les chutes !*
Tout le monde *se précipita vers les fenêtres !*
Tout le monde *vit les chutes du Niagara…*

SAUF MOI ! SAUF MOI ! SAUF MOI ! SAUF MOI !

REGARDEZ LES CHUTES !

J'étais entouré d'une foule d'enfants surexcités et je ne voyais rien du tout !

L'autocar s'arrêta. Je descendis et je fus tout de suite frappé par le FRACAS ASSOURDISSANT des chutes… Puis je voulus prendre une photo.

Tout le monde *était pressé de photographier les chutes !*

Tout le monde *sortit son appareil photo !*

Tout le monde *photographia les chutes du Niagara…*

SAUF MOI !
SAUF MOI !
SAUF MOI !
SAUF MOI !
SAUF MOI !
SAUF MOI !

J'étais toujours entouré d'une foule d'enfants surexcités !
Puis l'autocar repartit et nous conduisit à la ville voisine de *Niagara on the Lake.*
Le **soir** était tombé.

JE NE SAIS PAS MONTER UNE TENTE !

Quand l'autocar s'arrêta, je demandai en bâillant :

– Je suis **affamé** et épuisé ! *Dans quel hôtel dormons-nous ? Dans quel restaurant dînons-nous ?*

Sourille de Sourilis était surprise.

– Un restaurant ? Un hôtel ? Monsieur Geronimo, nous sommes venus ici pour profiter de la vie au grand air ! Pour jouir de la beauté de la nature ! Pour découvrir les plaisirs du **CAMPING** !

Je lançai un regard à travers la vitre.

Nous venions de nous garer devant un camping !

Je PÂLIS et murmurai :

– Génial… euh, mais qui va monter les tentes ?

Elle cria :

– Eh bien, je me figurais que ce serait vous, *monsieur Geronimo…*

Je fis un *RAPIDE* calcul : hum, nous étions 24...
au total... je devais monter 6 tentes pour les
22 enfants plus 1 tente pour moi et 1 tente
pour Sourille, c'est-à-dire, en tout...
8 tentes ! Plus 1 tente où nous préparerions les
repas tous ensemble ! Soit un total de 9 tentes !
Je blêmis.

– Neuf tentes ?

C'est alors que je me souvins d'un petit détail.

JE NE SAIS PAS MONTER UNE TENTE !

Les enfants s'écrièrent en chœur :

– O-u-a-a-a-h ! O-n n'e-n p-e-u-t p-l-u-s !

Je commençai à fouiller parmi les différents élé-
ments des tentes : toiles, ficelles, piquets...

Par mille mimolettes, je n'y comprenais rien du
tout !

Je montai une tente de travers... je me donnai un
coup de marteau sur un doigt... et je m'empaque-
tai comme un saucisson...

Je **hurlai** :

– *Au secouuuuuuuuuuuuuuuuuuuuurs !*

Je piquai une **CRISE DE NERFS**.

– Ça suffit ! Je suis incapable de monter des tentes pour 24 rongeurs, dans le noir… dans un camping… au milieu des bois ! *Ouaaaaaaaaaaaaaahhhhhhhhh !*

J'ensuisincapablej'ensuisincapablej'ensuisincapablej'ensuisincapablej'ensuisincapable !

Puis Benjamin me murmura à l'oreille :

– Téléphone à tante Téa, elle sait toujours quoi faire !

J'essuyai mes larmes.

– Bonne idée !

J'appelai ma sœur et, après avoir raccroché, je commençai à monter les tentes en suivant ses instructions : une demi-heure plus tard, tout était fini.

Eh oui, ma sœur a toujours une solution à tous les problèmes !

Les enfants se glissèrent à l'intérieur et crièrent en chœur :

– C'est beau de dormir dans une tente !

Sourille gazouilla :

– C'est beau de dormir dans une tente, n'est-ce pas, *monsieur Geronimo* ?

LA TENTE

GUIDE DE MONTAGE

 **1** Étalez par terre le tapis de sol et fixez-le aux angles avec des piquets.

 **2** Préparez l'armature de soutien et attachez-y la toile à l'aide des passants.

 **3** Fixez les tendeurs latéraux avec des piquets.

 **4** Montez le double toit, tendez-le bien et fixez-le avec des piquets.

 **5** Rigole pour l'écoulement des eaux

Creusez autour de la tente une rigole d'écoulement de l'eau. Cela sera très utile en cas de pluie !

OÙ MONTER LA TENTE

 NON NON NON OUI

Choisissez un terrain plat ou légèrement en pente, à l'abri du vent.

JE NE SAIS PAS FAIRE LA CUISINE EN CAMPING !

Quand toutes les tentes furent montées, je demandai :

– Euh, mais… qui va faire la cuisine ?

La maîtresse cria :

– Eh bien, je me figurais que ce serait vous, *monsieur Geronimo…*

Les enfants s'écrièrent en chœur :

– O-u-a-a-h ! O-n m-e-u-r-t d-e f-a-i-m !

MAIS JE NE SAIS PAS FAIRE LA CUISINE EN CAMPING !

J'allai chercher de l'eau au ruisseau, *mais* je la renversai en chemin, j'essayai d'allumer un FEU, *mais* le bois était humide et ne brûlait pas, je cassai des œufs pour faire une omelette, *mais* ils tombèrent par terre, je posai le pain sur le sol, *mais* les fourmis le mangèrent...

Je piquai une crise de nerfs.

– Ça suffit ! Je suis incapable de faire la cuisine pour 24 rongeurs, dans le noir... dans un camping... au milieu des bois !

Benjamin murmura :

– Appelle encore tante Téa !

Je lui téléphonai :

– Euh, Téa, j'ai un problème...

Grâce à ses conseils, je parvins à allumer le feu et, une demi-heure plus tard, tout était prêt.

Eh oui, ma sœur a toujours une solution à tous les problèmes !

COMMENT CUISINER

TRÉPIED

PIERRES PLATES

Suspendez la marmite à une chaîne fixée au sommet de trois pieux de bois attachés entre eux.

Vous pouvez faire cuire des œufs, du poisson, de la viande sur des pierres disposées au-dessus d'un petit feu.

À LA BROCHE

À LA FOURCHE

Pour cuire à la broche, embrochez les aliments sur une branche au-dessus de la braise.

Suspendez des marmites à une solide branche soutenue par deux fourches, comme pour la broche.

Pour allumer un feu, choisissez un endroit adapté, étudiez la direction du vent, prévenez les risques d'incendie et ayez toujours à portée de main un seau d'eau pour éteindre le feu.

Ne laissez jamais un feu sans surveillance !

RONFFF... BZZZZ !

J'étais tellement fatigué que je m'endormis le museau dans mon assiette.

Mais quelqu'un me réveilla :

– Pssst... pssst... pssssst... *monsieur Geronimo* !

J'ouvris les yeux et balbutiai :

– Q-qu'est-ce que c'est ? Q-que se passe-t-il ? Q-qui m'appelle ?

C'était Sourille.

– Monsieur Geronimo, vous avez oublié de préparer... euh, les toilettes !

Je ne comprenais pas.

– Quoi ? Les toilettes ?

Les enfants s'écrièrent en chœur :

– O-u-a-a-a-a-h !

Je m'exclamai :

– J'ai compris ! Je m'en occupe tout de suite !

J'appelai de nouveau ma sœur :

– Téa, j'ai encore une petite question à te poser...

Une demi-heure plus tard, les toilettes étaient prêtes.
Eh oui, ma sœur a toujours une solution à tous les problèmes !

Oh, j'étais épuisé ! Je me glissai dans mon sac de couchage et m'endormis comme un loir en me mettant à ronfler de bon cœur…

Ronfff… bzzz… ronfff… bzzz… ronfff…

LES TOILETTES

COMMENT LES INSTALLER

TOILETTES

I. Creusez un trou que vous reboucherez après utilisation.

2. Entourez ce trou avec un paravent constitué de bâtons et de toile.

DOUCHE

Construisez un trépied sur lequel vous fixerez une marmite d'eau prête à être renversée.

LAVABO

Construisez un trépied sur lequel vous poserez un bassin pour vous laver les mains et le visage.

STILTON, POURQUOI NE TE LAVES-TU PAS ?

Je fus réveillé au cœur de la nuit par une odeur **DÉGOÛTANTE**, pire que... les poubelles d'un restaurant de poissons au mois d'août !

J'ouvris les paupières... et je vis deux petits yeux brillants qui me fixaient !

Je bondis hors de mon sac de couchage en **hurlant** :

– Qu'est-ce que c'est ? Que se passe-t-il ?

Des lumières s'allumèrent dans toutes les tentes du camping et tout le monde se mit à *HURLER* :

– *MAIS QUELLE ODEUR !*

– *MAIS QUELLE PUANTEUR !*

– QUELLE INFECTION !

– Mais d'où ça vient ?

– De la tente de ce type…

– Celui qui vient de l'île des Souris…

– Oui, un certain Stilton…

– Il s'appelle *Geronimo Stilton*…

– Il paraît que c'est un éditeur…

– Il est venu ici pour accompagner la classe de son neveu…

– Mais pourquoi ne se lave-t-il pas ?

J'essayai de me justifier :

– Ce n'est pas moi… l'odeur… enfin la **PUANTEUR**…

Tripo ricana.

– Geronimo est nauséabond… il n'utilise jamais de savon !

TRIPO

J'insistai :

– J'ai vu deux yeux briller dans la nuit... et un petit animal au pelage noir rayé de blanc avec une queue touffue...

Tripo se moqua de moi :

– Des yeux ? Où ça ? Je ne vois pas d'yeux... tout ce que je sens, c'est une grande PUANTEUR ! *Geronimo voit ce qui n'existe pas...*

Tarati tarati taratata !

Benjamin *murmura* :

– Tu as vraiment vu deux yeux dans le noir, tonton ?

Puis il feuilleta le guide touristique. Mais que cherchait-il ?

Pendant ce temps, Tripo ne cessait de se moquer de moi en chantonnant :

Geronimo raconte des bobards... il a des visions dans le noir !

C'est alors que Benjamin, **tRioMPHant**, montra à Tripo une page du guide touristique.

– Voici la description de l'animal. Des petits yeux brillants… fourrure **NOIRE**, raies BLANCHES… queue touffue… mauvaise odeur… c'est une MOUF- FETTE !!! *Mon oncle avait raison !!!*

La MOUFFETTE (ou putois américain) est un mammifère de la famille des mustélidés à laquelle appartiennent aussi la fouine, la martre, le blaireau, la loutre, le vison, le putois, la belette et l'hermine. Elle a un épais pelage marron ou noir, avec des rayures blanches. Elle vit dans les régions boisées et se nourrit d'insectes, de petits vertébrés et de fruits. Pour se défendre des prédateurs, elle a recours à un système très particulier : elle produit un liquide malodorant qu'elle vaporise jusqu'à un mètre de distance !

Niagara...
Tonnerre des eaux !

Le lendemain matin, nous nous levâmes dès l'aube et, après le petit déjeuner, nous longeâmes le fleuve.

J'étais *très ému !*

Enfin, j'allais voir les chutes du Niagara ! Autour de nous, les arbres semblaient avoir revêtu un costume de fête, avec des feuilles jaunes, **rouges** et **brunes**.

On était en septembre... c'étaient les couleurs de l'automne !

Le soleil se leva, imbibant le ciel d'une nuance ROSE. Enfin, un mur de cristal se dévoila à mes yeux. Les eaux tombaient avec la puissance de **1000** fleuves, résonnant comme *1000* coups de tonnerre.

Soudain, un arc composé de sept couleurs s'épanouit dans le ciel bleu, telle une merveilleuse fleur : les rayons du soleil naissant se reflétaient dans **1000** gouttelettes d'eau en suspension dans l'air, formant *un arc-en-ciel... ou plutôt deux arcs-en-ciel !!!*

d'espoir !

Une paix profonde emplit mon cœur… comme une promesse d'espoir !
Je serrai la petite patte de mon neveu.
– C'est un spectacle inoubliable ! La beauté de la nature me remplit toujours le cœur de joie !

TONNERRE DES EAUX

Pendant des milliers d'années, les chutes du Niagara ne furent connues que des Indiens Neutrals, une tribu pacifique qui occupait des territoires voisins de ceux des belliqueuses tribus des Iroquois. Au cours d'un de leurs longs voyages, les Indiens Neutrals avaient été attirés par un bruit puissant et découvrirent cette énorme chute, qu'ils appelèrent aussitôt « Onguiaahra », c'est-à-dire « le Tonnerre des Eaux ».

LES INDIENS D'AMÉRIQUE

NORD-EST (sud-ouest du Canada et nord-ouest des États-Unis, jusqu'à la côte de l'océan Atlantique)

Algonquins : leur langue était parlée par un grand nombre de tribus.

Iroquois : confédération de tribus (Goyogouins, Mohawks, Sénécas, Onontagués et Tuscaroras). Leur société était de type matriarcal : les chefs étaient choisis par la « mère du clan », la plus vieille et la plus sage des femmes.

Neutrals : tribu non guerrière (d'où leur nom) qui habitait entre les lacs Huron, Érié et Ontario.

SUD-EST (côte de l'océan Atlantique et golfe du Mexique)

Cherokees : leur chef Sequoyah inventa un alphabet composé de 85 symboles.

Creeks : confédération de tribus entre les États de la Géorgie et de l'Alabama.

Séminoles : tribu qui était formée de deux groupes, les Muskogee et les Mikasuki.

SUD-OUEST (sud des États-Unis et côte sud du Pacifique)

Apaches : groupe de tribus (Mescalero, San Carlos, Fort Apache, Apache Peaks, Mazatzal et autres) qui parlaient la même langue. Ces vaillants guerriers furent parmi les derniers à se rendre aux Blancs. Leurs plus célèbres chefs furent Geronimo et Cochise.

Navajos : Indiens réputés pour leur artisanat (couvertures, tapis et bijoux).

Pueblos : plus qu'à un groupe de tribus, ce terme renvoie au type de villages dans lesquels vivaient ces Indiens, et qui étaient composés de maisons en terre crue.

GRANDES PLAINES (du Canada au Mexique et du Mississippi aux montagnes Rocheuses)

Cheyennes : cette tribu nomade vivait dans les fameux tipis, des tentes de forme conique formées par de longs poteaux recouverts de peaux de bison. C'étaient d'habiles chasseurs de bisons.

Comanches : ces guerriers très redoutés combattaient à cheval.

Pieds-Noirs : tribu réputée pour l'habileté de ses cordonniers qui fabriquaient des mocassins de peau sombre (c'est de là que vient leur nom).

Sioux : groupe qui comprend les Dakotas, les Nakotas et les Lakotas. Taureau Assis, Cheval Fou et Nuage Rouge furent de fameux chefs sioux.

HAUTS PLATEAUX ET GRAND BASSIN (de la Colombie-Britannique au Canada central jusqu'à l'Oregon, l'Idaho, le Wyoming et le Montana)

Nez-Percés : tribu pacifique qui avait l'habitude de porter un ornement dans le nez (d'où leur nom).

Shoshones : ces chasseurs de bison recherchèrent la paix avec les Blancs durant les guerres indiennes.

CALIFORNIE (côte centrale de l'océan Pacifique)

Hupas : tribu d'artisans (objets en bois). Ils vivaient au bord des rivières dans des maisons en bois de cèdre et se nourrissaient de saumons et de glands.

Wintus : leur économie était fondée sur les cerfs, les saumons et les glands.

NORD-OUEST (côte nord de l'océan Pacifique)

Chinooks : grands marchands de saumons.

Tlingits : ils travaillaient très habilement le bois de cèdre.

TOUT LE MONDE
À BORD !

Sourille annonça :

– Et maintenant, nous allons prendre un bateau qui nous emmènera au pied de la **cascade**. Je vous recommande d'être prudents, de ne pas vous pencher au bastingage !

Nous endossâmes tous un imperméable en **plastique** et montâmes à bord.

J'entendis le **joyeux** appel d'une sirène et les matelots larguèrent les amarres.

Le bateau se détacha de la rive et se dirigea vers le milieu de la rivière Niagara.

Ce n'était pas du tout la même chose d'observer les chutes d'**EN BAS** et non plus d'**EN HAUT** !

Là seulement on comprenait à quel point elles étaient majestueuses… et quelle **PUISSANCE** dégageait l'eau en tombant de si haut !

Je m'approchai du bastingage, en me tenant prudemment à la main courante.

L'eau, en contrebas, filait à toute **VITESSE**, formant des remous menaçants.

Nous nous rapprochions de plus en plus des chutes ! Nous en étions maintenant **très proches** !

UNE VISITE AUX CHUTES

Une excursion à bord du MAID OF THE MIST (La Fiancée de la brume) est toujours très humide, étant donné que le bateau s'approche autant que possible de la base de la cascade ! Mais c'est aussi très émouvant et c'est la meilleure manière d'apprécier la puissance de cet énorme volume d'eau.

Le pont était tout mouillé, des éclaboussures trempèrent mes moustaches et mon pelage.

Nous étions dans un nuage formé par *1000* et *1000* et *1000* gouttelettes en suspension dans l'air.

On se serait cru dans un rêve.

Quelle sensation irréelle !

Je me souvins d'une légende qui parlait justement des chutes et je la racontai aux enfants...

Il y a bien des années de cela...

LA LÉGENDE DE LA
FIANCÉE DE LA BRUME

Il y a bien des années de cela, près de la rivière Niagara, vivait une tribu d'Indiens pacifiques. Pour éviter que la tribu ne soit victime d'épidémies ou ne voie le gibier disparaître, ils demandaient toujours protection au dieu du tonnerre, qui vivait dans une caverne sous les chutes d'eau.

Un jour, le dieu vit Lelawala, la fille du grand chef « Œil d'aigle ». Il décida qu'il voulait l'épouser !

Les Indiens lui offrirent des canoës remplis de fleurs, de fruits et de gibier, mais le dieu répétait qu'il voulait la jeune fille. Lelawala, pleine d'audace, décida de sauver sa tribu.

Elle se présenta donc, vêtue de blanc et portant une couronne de fleurs. Elle monta dans un canoë en bois de bouleau et s'élança courageusement dans les rapides.

Mais, quand il la vit tomber d'en haut, le dieu écarta les bras et la rattrapa au vol, lui sauvant ainsi la vie.

La jeune fille courageuse resta à jamais dans la caverne sous les chutes d'eau. Elle fut appelée « FIANCÉE DE LA BRUME », parce qu'un épais brouillard de gouttelettes d'eau flotte toujours au pied de la cascade.

QUI ?
QUI ?? QUI ???

Quand j'eus fini de raconter cette émouvante légende INDIENNE, le bateau retournait déjà vers la rive... mais, soudain, je m'aperçus que **quelque chose n'allait pas**.

Hum, qu'est-ce qui n'allait pas ?

Il manquait *quelque chose... quelqu'un...* Je parcourus le pont du bateau en courant, pour compter les enfants.

Un deux trois quatre cinq six sept huit

neuf dix onze douze treize quatorze quinze seize dix-sept dix-huit dix-neuf vingt vingt et un...

Vingt et un ??? Il manquait quelqu'un !
Mais qui ? Mais qui ?? Mais qui ???
Les enfants s'écrièrent en chœur :
– Il manque… Tripo !
Ils commencèrent à l'appeler.

Tripooo !!! Tripooo !!! Tripooo !!!

Tripooo !!! Tripooo !!!

Tripooo !!!

Tripooo !!!

Tripooo !!! Tripooo !!!

Tripooo !!!

Tripooo !!!

Enfin, je le découvris sur la rive : il gesticulait pour attirer notre attention... Il était resté à terre quand le bateau était parti !

Je criai :

– Reste calme, Tripo ! Ne bouge pas ! *C'EST DANGEREUX !* Nous allons venir te chercher et nous retournerons faire un tour en bateau.

Mais, à ce moment... Tripo glissa sur un rocher humide et tomba à l'eau.

Et il disparut aussitôt dans un tourbillon.

UN PLONGEON...
DANS L'EAU GLACIALE !

Je plongeai tête la première dans l'**eau**.
Je ne songeai même pas que...

je ne suis pas un grand nageur...
c'était dangereux...
je risquais ma vie...

Je voulais et je devais le sauver à tout prix !
L'**EAU GLACIALE** me submergea et me coupa la respiration.
Je me débattis **DÉSESPÉRÉMENT** pour remonter à la surface !

J'avais très *peur*… mais le désir de sauver Tripo était si profond qu'il me donna la **FORCE** de continuer.

Je nageai de toutes mes forces dans ces eaux qui résonnaient de *1 000 roulements de tonnerre*.

J'essayais de ne pas couler, mais l'eau enfonçait ses

doigts invisibles
doigts invisibles
doigts invisibles

dans mes yeux, dans mes oreilles, dans mon nez, dans ma bouche !

Je suffoquais… mais je ne devais pas perdre Tripo de vue !

Je voyais sa tête flotter de haut en bas de haut en bas de haut en bas sur les vagues… de haut en bas de haut en bas sur les vagues… de haut en bas de haut en bas sur les vagues…

Enfin, j'atteignis Tripo… mais il venait de s'évanouir et de couler au fond de l'eau.

Je rassemblai tout mon courage pour plonger sous la vague. Je perdis mes lunettes… et, moi, sans mes lunettes, je ne vois pas bien, pas très bien, ou plutôt, JE N'Y VOIS CROÛTE !

Mais je distinguai confusément une tache jaune et une **tache bleue**… c'était Tripo !

Je parvins à l'attraper, puis je m'accrochai à la bouée de sauvetage qu'on m'avait lancée.

Sur le pont du bateau, tout le monde *tira tira tira* avec force, en criant :

– **HOOOO… HISSE !**

Nous étions sauvés !

Vous n'êtes pas une souris... vous êtes un héros !

Le commandant du bateau s'exclama :
– Pour Geronimo Stilton... hip hip hourra !
Tout le monde s'écria en chœur :
– Hip hip hourra !
Un touriste grand et gros, en tee-shirt et pantalon court, qui pesait au moins 150 KILOS, me donna une tape sur l'épaule.
– *Félicitations !*
Mais, sans s'en apercevoir, il m'écrasa la patte gauche.
Je hurlai :
– Aïiiiiie !

Je bandai aussitôt mon pied avec le bandana de mon neveu Benjamin.

Une petite vieille m'embrassa, émue, en disant :

– Bravo, jeune rongeur ! Vous n'êtes pas une souris... vous êtes un héros !

Mais, tout en m'embrassant, elle m'enfonça la poignée de son sac dans l'œil droit !

Je hurlai :

– Aiiiiiie !

Avec un mouchoir bleu, je bandai mon œil qui larmoyait : pour le coup, j'avais vraiment l'air d'un **PIRATE** !

Toute la classe m'admirait.

Sakura murmura à Benjamin :

– Tu as vraiment de la chance d'avoir un oncle comme Geronimo !

Mon neveu devint tout **ROUGE** (il est timide, comme moi) et répondit :

– Euh, oui, mon oncle est vraiment **ASSOURIS- SANT** !

Puis un matelot nous enveloppa, Tripo et moi, dans une couverture et nous fit boire une tasse de thé *CHAUD* très sucré.

Mais, comme je n'avais plus mes lunettes, je renversai la tasse sur une de mes pattes et me brûlai.

Je hurlai :

– *Aïïïïïïïe !*

A ïïe !

Je me bandai la patte avec le mouchoir rose à petites fleurs que me prêta la maîtresse. Je ne sais pas pourquoi, mais j'étais plutôt **STRESSÉ**...

AAAAAAïïïïïïïïïïïEEEEE !

AMIS...
COMME SOURIS !

Tripo m'embrassa.

– Merci, Geronimo ! Tu m'as sauvé la vie !
Quand je pense à toutes les blagues que je t'ai
faites...

Je souris :

– Je l'ai fait avec plaisir, Tripo ! Dorénavant,
nous serons amis !

Nous nous serrâmes la patte.

– Amis comme cochons, ou
plutôt... *comme souris !*

Nous feuilletâmes ensemble
le **guide touristique** :
des dizaines d'aventuriers
avaient défié les

CHUTES !

Les aventuriers du Niagara

Les chutes du Niagara ont attiré les aventuriers du monde entier, qui se sont lancés dans des entreprises spectaculaires !

La première aventurière qui s'élança en tonneau dans les chutes était Annie Taylor, une femme de soixante-trois ans. C'était en 1901, elle était accompagnée par son chat...

Un des plus audacieux fut Jean-François Gravelet, dit Blondin, qui, en 1859 et en 1860, traversa les chutes sur un fil d'acier tendu en l'air.

Après une première tentative qui échoua en raison de l'intervention des autorités, Dave Munday se lança avec succès dans un caisson étanche à deux reprises, en 1985 et en 1990 !

Bobby Leach affronta les chutes du Niagara en 1911, enfermé dans un cylindre d'acier, mais, moins chanceux qu'Annie, il passa les six mois suivants à l'hôpital pour soigner ses innombrables fractures.

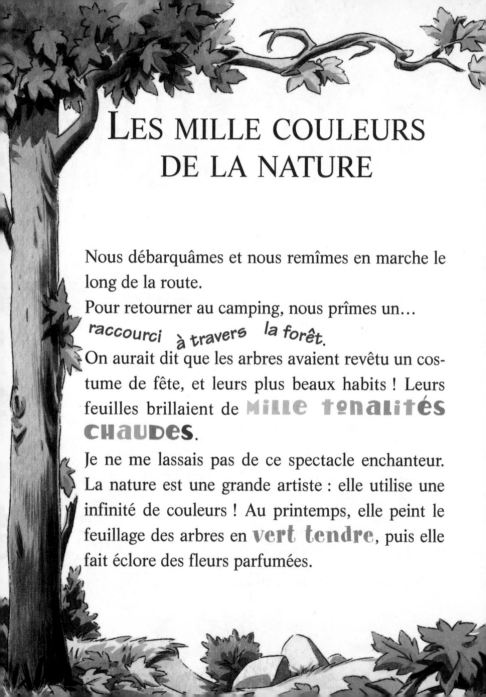

LES MILLE COULEURS DE LA NATURE

Nous débarquâmes et nous remîmes en marche le long de la route.

Pour retourner au camping, nous prîmes un… raccourci à travers la forêt.

On aurait dit que les arbres avaient revêtu un costume de fête, et leurs plus beaux habits ! Leurs feuilles brillaient de **MILLE tonalités chaudes**.

Je ne me lassais pas de ce spectacle enchanteur. La nature est une grande artiste : elle utilise une infinité de couleurs ! Au printemps, elle peint le feuillage des arbres en **vert tendre**, puis elle fait éclore des fleurs parfumées.

En été, elle décore les plantes en suspendant à leurs branches des fruits succulents.

En automne, elle repeint les arbres de couleurs chaudes : jaune, orange, rouge, marron...

L'hiver, elle dépouille les arbres : elle fait tomber leurs feuilles pour que les plantes résistent mieux au froid.

Le sentier était tapissé de feuilles mortes, qui craquaient sous nos pas.

Pendant que Benjamin et ses amis couraient en avant, je me retrouvai à côté de Sourille.

Je lui demandai :

– Avez-vous des *enfants* ?

Elle rougit.

– Oh, non. Je n'ai pas d'enfants.

Je lui demandai encore :

– Mais êtes-vous *mariée* ?

Elle soupira :

– Oh, non. Je ne suis pas mariée.

J'insistai :

– Pardonnez-moi si je suis indiscret... n'êtes-vous pas *fiancée* ?

Elle essuya une larme.

– Oh, non. Je ne suis même pas fiancée. Je n'ai été

AMOUREUSE qu'une seule fois, mais c'était il y a *tant et tant et tant* d'années…

Puis elle ouvrit le médaillon qu'elle portait au cou et me montra un poil de moustache.

– Voici un poil de moustache de mon amoureux !

Savoir où il se trouve maintenant…

J'écrasai une larme, moi aussi.

Euh, je suis un gars, *ou plutôt un rat*, très *sentimental* et un rien m'émeut !

C'est alors qu'il commença à pleuvoir.

Ooooooh… il pleuvait si fort !

LE MÉDAILLON DE SOURILLE

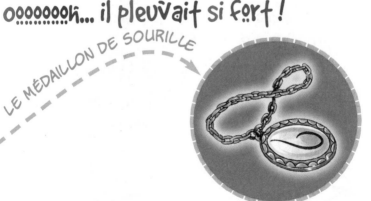

Un petit coin
de parapluie couleur
fromage !

Soudain, j'entendis une voix douce qui *murmurait murmurait murmurait*...

– Mademoiselle, puis-je me permettre de vous aider ? Puis-je vous offrir un abri sous mon parapluie ?

Je me retournai, intrigué, et découvris un rongeur souriant qui tenait un énorme parapluie jaune décoré de trous de **GRUYÈRE**.

Il arborait fièrement une belle paire de moustaches.

Il semblait avoir le même âge que Sourille.

Elle rougit et murmura :

– M-mais tu ne serais pas... *Ratobald* ? *Mon petit camarade de l'école primaire ?*